English
WRITING BOOK
Small Letters

Name : ....

Class : ....Roll No. ....

Sec. : ....

School : ....

MANOJ PUBLICATIONS

for **apple**

Say, Trace and Write

a a a a a a a a a a a a

a a a a

a a a

a a

a

a

a

a

a	a	a	a	a	a	a	a	a	a	a	a

a											

a											

a											

a											

a											

a											

a											

a											

aeroplane

ant

axe

Date : ....

3

Teacher's Signature : ....

for **ball**

Say, Trace and Write

b b b b b b b b b b b b

b b b b

b b b

b b

b

b

b

b

b b b b b b b b b b b b

b

b

b

b

b

b

b

b

bat

bananas

butterfly

for **cat**

Say, Trace and Write

C C C C C C C C C C C C

C C C C

C C C

C C

C

C

C

C

Date : ....

Teacher's Signature : ....

C	C	C	C	C	C	C	C	C	C	C	C

C											

C											

C											

C											

C											

C											

C											

C											

clock

camel

car

d

for **dog**

Say, Trace and Write

d d d d d d d d d d d

d d d d

d d d

d d

d

d

d

d

d d d d d d d d d d d d

d

d

d

d

d

d

d

d

deer

duck

dinosaur

Date : ....

Teacher's Signature : ....

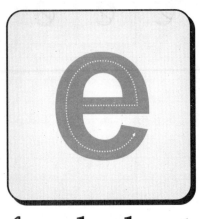

for **elephant**

Say, Trace and Write

e e e e e e e e e e e e

e e e e

e e e

e e

e

e

e

e

Date : .... 10 Teacher's Signature : ....

e e e e e e e e e e e e

e

e

e

e

e

e

e

e

eagle

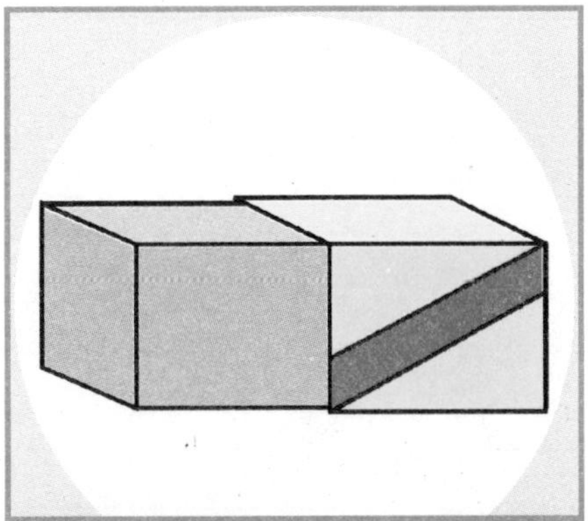

eraser

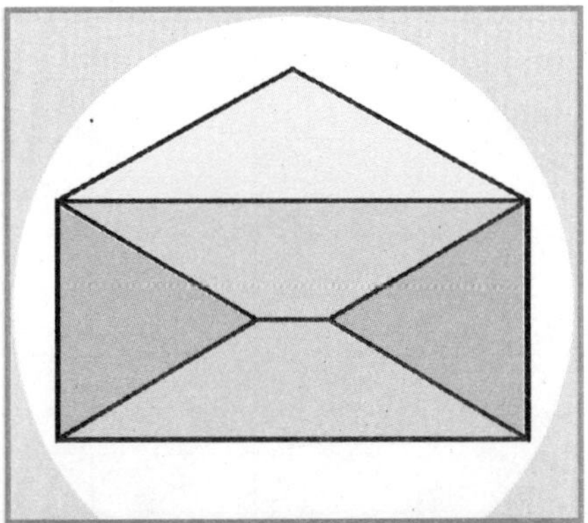

envelope

for **fish**

Say, Trace and Write

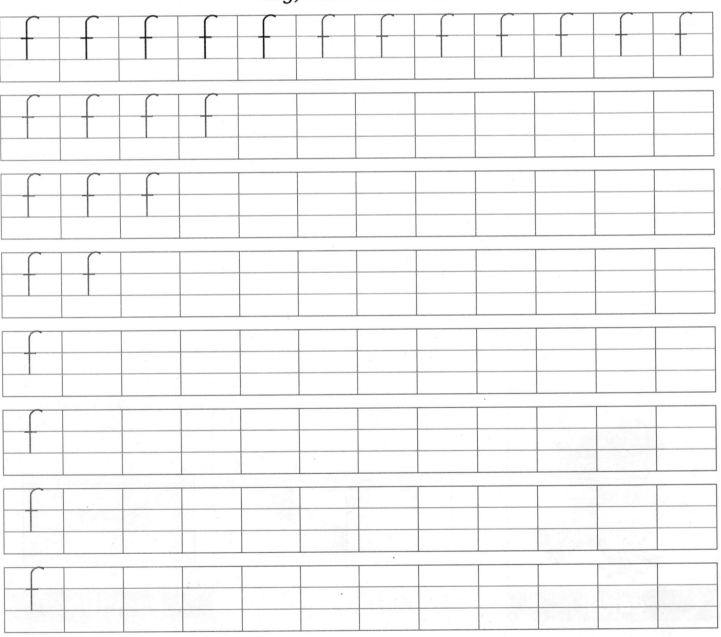

f f f f f f f f f f f f

f

f

f

f

f

f

f

f

flag

fire

frog

for **grapes**

Say, Trace and Write

g g g g g g g g g g g g

g g g g

g g g

g g

g

g

g

g

g g g g g g g g g g g g g

g

g

g

g

g

g

g

g

glass

guitar

giraffe

for **horse**

Say, Trace and Write

h h h h h h h h h h h h h

h h h h

h h h

h h

h

h

h

h

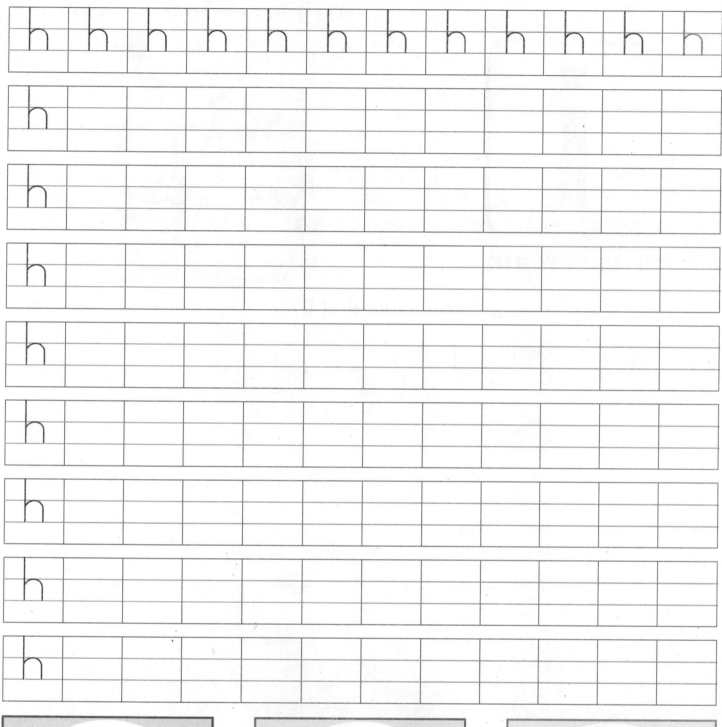

h h h h h h h h h h h h h h

h

h

h

h

h

h

h

h

hammer

hen

hat

Date : ....   Teacher's Signature : ....

for **ice cream**

Say, Trace and Write

i i i i i i i i i i i i

i i i i

i i i

i i

i

i

i

i

i	i	i	i	i	i	i	i	i	i	i

i										

i										

i										

i										

i										

i										

i										

i										

igloo

iron

inkpot

Date : ....

Teacher's Signature : ....

j

for jaguar

Say, Trace and Write

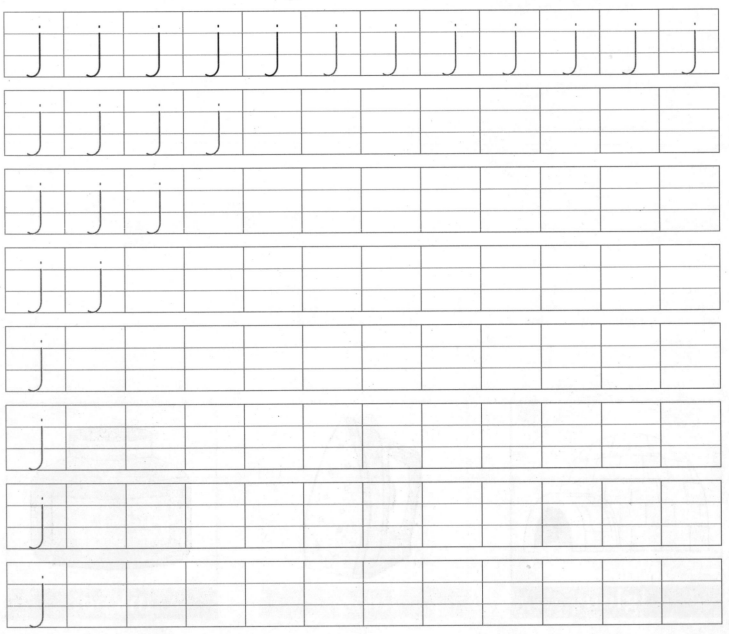

j j j j j j j j j j j j j j j

j

j

j

j

j

j

j

j

jeep

joker

jam

Date :   21   Teacher's Signature : ....

for **kite**

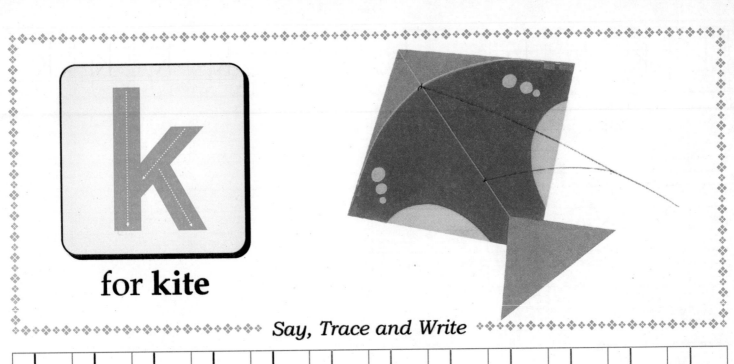

Say, Trace and Write

k k k k k k k k k k k

k k k k

k k k

k k

k

k

k

k

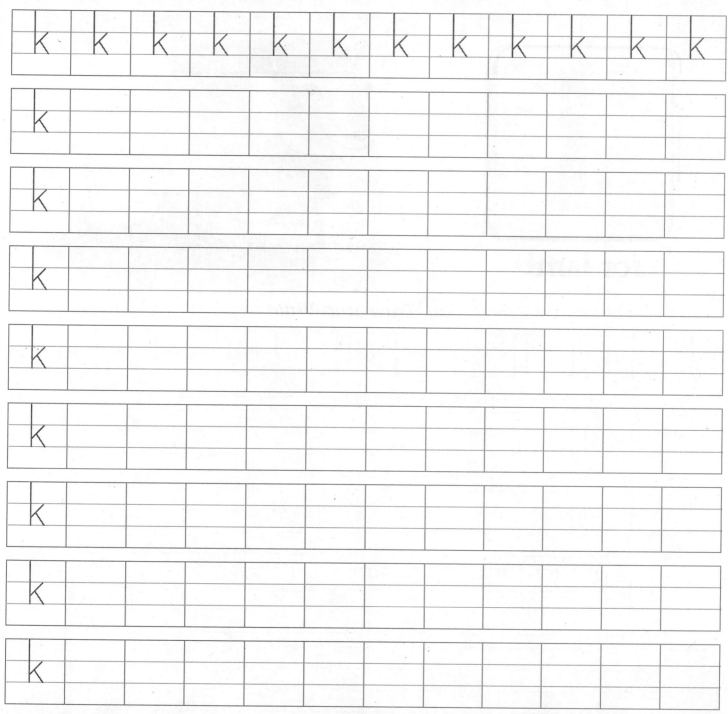

k k k k k k k k k k k k

k

k

k

k

k

k

k

k

kettle

kangaroo

key

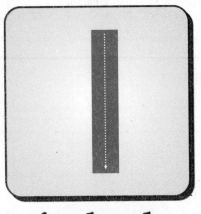

l for **lamb**

Say, Trace and Write

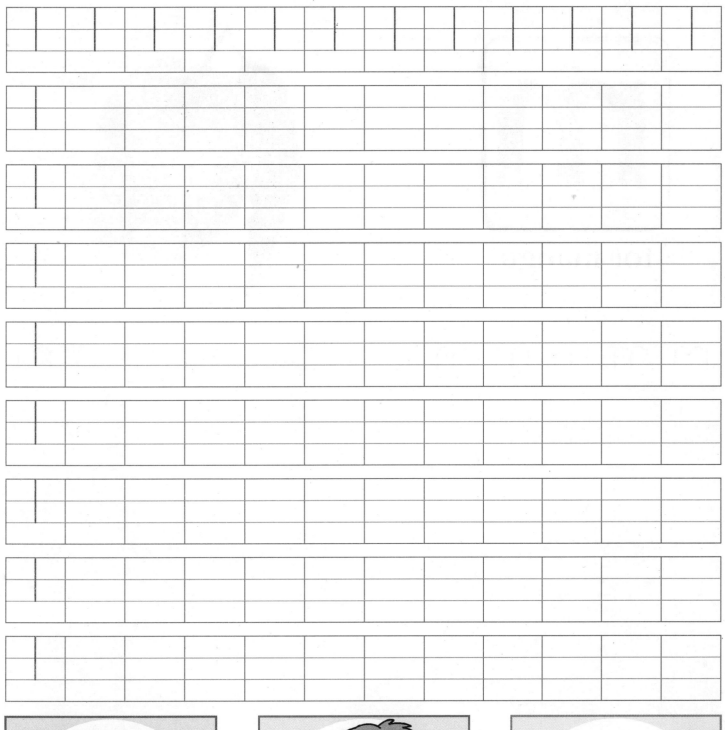

lamp

lion

leaf

for **mango**

Say, Trace and Write

m m m m m m m m m m m m

m m m

m m m

m m

m

m

m

m

m m m m m m m m m m m m

m

m

m

m

m

m

m

m

moon

monkey

medal

for **nest**

Say, Trace and Write

n n n n n n n n n n n n n

n n n n

n n n

n n

n

n

n

n

Date :   28   Teacher's Signature : ....

n n n n n n n n n n n n n

n

n

n

n

n

n

n

n

nib

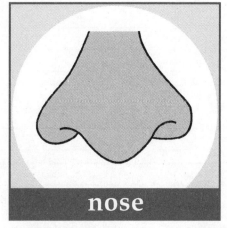

nose

necklace

Date : ....

29

Teacher's Signature : ....

O for orange

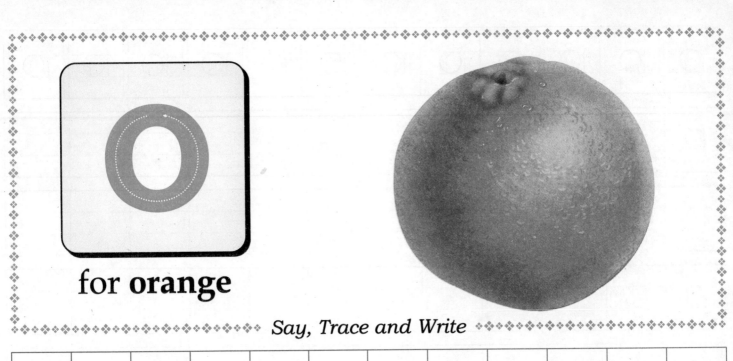

Say, Trace and Write

octopus

ostrich

owl

Date : ....

Teacher's Signature : ....

for pigeon

Say, Trace and Write

p p p p p p p p p p p p

p p p p

p p p

p p

p

p

p

p

English Writing Book Small Letters

p p p p p p p p p p p p p

p

p

p

p

p

p

p

p

pig

penguin

pencil

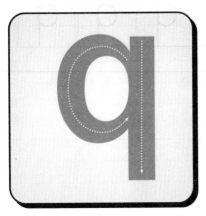

for **queen**

q q q q q q q q q q q q q q

q q q q

q q q

q q

q

q

q

q

Date : ....

Teacher's Signature : ....

q q q q q q q q q q q q q

q

q

q

q

q

q

q

q

quill

quilt

quail

for **rabbit**

Say, Trace and Write

r r r r r r r r r r r r r

r r r r

r r r

r r

r

r

r

r

Date : ....

Teacher's Signature : ....

r r r r r r r r r r r r r r

r

r

r

r

r

r

r

ring

rocket

rose

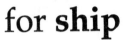
for **ship**

Say, Trace and Write

S	S	S	S	S	S	S	S	S	S	S	S

S	S	S	S								

S	S	S									

S	S										

S											

S											

S											

S											

Date : ....

Teacher's Signature : ....

for **tiger**

Say, Trace and Write

t t t t t t t t t t t t t t

t t t t

t t t

t t

t

t

t

t

for **umbrella**

Say, Trace and Write

u	u	u	u	u	u	u	u	u	u	u	u

u	u	u	u								

u	u	u									

u	u										

u											

u											

u											

u											

Date : ....

40

Teacher's Signature : ....

English Writing Book Small Letters

for **violin**

Say, Trace and Write

V V V V V V V V V V V V

V V V V

V V V

V V

V

V

V

V

for **watermelon**

Say, Trace and Write

W W W W W W W W W W W

W W W W

W W W

W W

W

W

W

W

for **xmas tree**

Say, Trace and Write

X X X X X X X X X X X X

X X X X

X X X

X X

X

X

X

X

for yak

Say, Trace and Write

y y y y y y y y y y y y y y

y y y y

y y y

y y

y

y

y

y

Date : ....

Teacher's Signature : ....

for **zebra**

Say, Trace and Write

Z Z Z Z Z Z Z Z Z Z Z Z

Z Z Z Z

Z Z Z

Z Z

Z

Z

Z

Z

Identify the given animals, encircle the correct letter the picture start with

n (l) j p

f h l d

s p q r

g a j c

m j i a

d k i r

b h z c

s r t p

Date : ....

Teacher's Signature : ....

What comes after

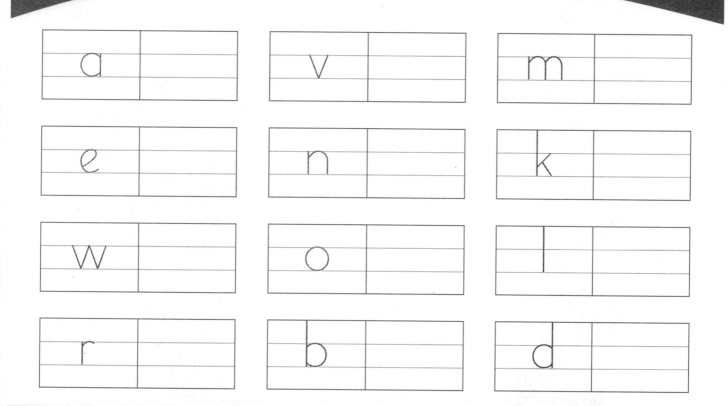

a		v		m	
e		n		k	
w		o		l	
r		b		d	

What comes before

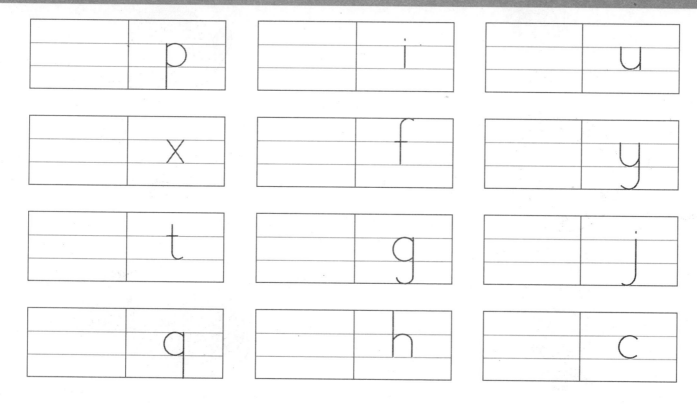

	p		i		u
	x		f		y
	t		g		j
	q		h		c

Connect the objects that start with the same letter

Date : ....

Teacher's Signature : ....